Sawr atgofus oriau

Cerddi gan Norman Closs

Sawr Atgofus Oriau

Norman Closs

Cyhoeddiadau Modern Cymreig

Argraffiad cyntaf: Rhagfyr 2019

Cynllun y Clawr :Sion Jones

Ffotograffydd : Sion Jones

ISBN 978-1-9996898-4-1

Cyhoeddwyd gan Wasg Cyhoeddiadau Modern Cymreig, Allerton, Lerpwl ac argraffwyd gan Wasg Book Empire, Garforth ger Leeds.

Cyflwynaf y gyfrol er cof am Bet
a hunodd ar Chwefror 4, 2019

Yn bennaf, i'n byd, y cof am dy lais, beth bynnag
a groesai dy lwybr, a grasol
â'th deulu, wrth eu disgwyl yn hwyliog
heb ochain, heb achwyn na beio'r
Hollalluog na ffawd; a'th rawd yn rhedeg
a'r gelyn fwyfwy i'r golwg ...
Gras a chariad, anwylyd lew a adewaist
a hun y nos hir yn nesáu ...
ninnau erbyn hynny, yn sicrwydd yr harbwr,
tawel, clyd yn cofio, cofio'r cyfan –
y difrif a'r digrif yn un, yn tynnu dagrau:
dwy galon dau enaid gyda'i gilydd.

Diolchiadau

Mae fy nyled yn fawr i'r Athro Brifardd Alan Llwyd, Abertawe, a'r Prifardd Ieuan Wyn, Carneddi, am hybu fy ymdrechion ar ôl marwolaeth y Prifardd Einion Evans. Diolch i'm teulu yn ddiwahân – i'm diweddar wraig Bet a'r genod, Heulwen a Gwawr, yr ŵyr, Idris, a'r wyresau, Mali, Ela a Gwenni. Diolch i'm mab-yng-nghyfraith Gareth am ddygymod â ni i gyd! Diolch i olygyddion *Y Glannau*, *Eco'r Wyddfa*, *Angor*, *Y Faner Newydd*, *Cerddi'r Troad*, *Cerddi Arfon* a *Cerddi Clwyd* am eu parodrwydd i gyhoeddi fy ymdrechion ac am roi caniatâd i mi eu defnyddio yma.

Diolch i'r naturiaethwyr a'r pysgotwyr a fu'n rhannu'r profiadau gyda mi.

Diolch i Siôn Jones y ffotograffydd am ei gwmni ac am hel a didol y golygfeydd ac ati!

Diolch i'r lleoedd a'r bobol y bu'n bleser rhannu'r blaned a hwy. Diolch i'r Athro Ddr Barchedig D. Ben Rees am ei wahoddiad a'i gefnogaeth i ddod â'r cerddi at ei gilydd … dyna beth yw ffydd!

Y Cynnwys

Cyflwyniad

Byddai'n rhaid i rywun adnabod Norman Closs Parry yn bur dda i wybod am ehangder ei ddiwylliant a'i ddiddordebau. Mae'n ddarllenwr mawr, ac yn fwy na hynny, mae'n brynwr llyfrau mawr – un o wir gefnogwyr ac un o wir werthfawrogwyr llenyddiaeth Gymraeg. Ac nid llenyddiaeth Gymraeg yn unig, ond llenyddiaeth gwledydd eraill yn ogystal.

Mae'n ymwybodol iawn o'i gefndir gwerinol ym mro'r chwareli yn Arfon, fel y dengys nifer o gerddi'r gyfrol hon, 'Craig yr Undeb', 'Ffiar Injan (Yr Allt Ddu)' a 'Grym y Gogoniant', er enghraifft. A'r union fro honno a roddodd iddo ei Gymraeg naturiol a graenus, Cymraeg y cerrig rhywiog ac nid y crawiau. A dyna un o'r pethau mwyaf arbennig amdano: cyfoeth ei Gymraeg ac ehangder ei eirfa. Ni cheir yma gerddi sy'n pryderu am ddyfodol y Gymraeg oherwydd mae'r iaith yn rhy fyw iddo i gyhoeddi ei thranc.

Awen yr awyr agored yw awen Norman Closs Parry. Mae'n bysgotwr tan gamp ac mae'n naturiaethwr ac yn adaryddwr brwd a gwybodus. Nid rhith o naturiaethwr, neu esgus o ddyn-dal-pysgod! Ffrwyth sylwi'n fanwl ar fyd natur yw llawer o gerddi'r gyfrol hon, ac mae'r dweud yn drawiadol yn aml, wrth iddo gonsurio darluniau a delweddau byw, er enghraifft:

> Trwmpedau aur a daniodd fardd,
> gweld glan y llyn a'r coed fel gardd,
> a dawns obeithiol lluoedd hardd
> o ddaear friw;
> gwanwyn o'r rhengoedd hyn a dardd
> mewn pant a rhiw.

> Eithinen a banhadlen fel ffowndri
> yn tywallt eu tawdd hyd y rhos,
> a'r aur fflamboeth heb ei gaboli
> yn llifo o'r bencydd i'r ffos.

> dewrder eiddil yr eirlysiau,
> Cennin Pedr, aur drwmpedau.

> Mae'r golau o ganhwyllau Mai ar gilio'n
> wyrthiol i greu llygad sipsi o gneuen.

Cofiaf imi lunio englyn iddo unwaith, englyn a seiliwyd ar syniad gan William Blake, ond hynny'n unig. Hwn yw'r englyn:

> Gwêl y creu mewn blodeuyn; gwêl hefyd
> y byd mewn gwybedyn;
> yn Natur, gweld ystyr dyn,
> a galaethau mewn gwlithyn

Yn ei gerddi mae'n sylwi ar y mân bethau, ac yn rhoi inni'r darlun mawr. A Duw yw'r Crëwr mawr iddo –

> Duw'r Gorchymyn, a Duw'r Ateb

Duw y Creu a Chalfari.

Fel pregethwr lleyg ac fel Cristion o argyhoeddiad, mae'r Nadolig yn golygu llawer iddo, wrth iddo fyfyrio ar y gwir Nadolig yng nghanol ein Nadoligau bydol-faterol ni.

Mae'n sonedwr celfydd hefyd, ac yn feddyliwr dwfn a dwys, er bod ganddo ddogn gref o hiwmor iachus – hiwmor y chwareli, chwedl yntau. Soned y byddaf yn dotio ati, ac yn cael fy nghyffroi a'm gwefreiddio ganddi bob tro y darllenaf hi yw 'Hyn Yw'r Sacrament':

> Torri'r tafellau'n giwbiau bychain gwyn;
> unwaith bu'r rhain yn hadau ar erwau o rawn,
> cyn i law ac awel a haul ar yr erwau hyn,
> ynghyd â dwylo prysur, greu llafur llawn.
> A'r gwydriad bychan, y melys-ar-wefus win,
> ffrwyth y llechweddau neu'r terasau tes –
> aeddfedodd drwodd, parod oedd i'w drin
> o feithrin rhin y grawnwin gan y gwres.
> Minnau a thithau, o'i elfennau O,
> cawn hoe a swper wedi her y daith,
> a'r siars ddi-ffael i beidio â gadael dros go'
> un rhan o'r ennill, dim mwy na'r gweddill gwaith,
> ac yn ei bair fe gafwyd gwin a bara,
> drwy'r ddefod wâr, wedi'r aeddfedu ara'.

Mae'n soned grefftus a chelfydd i ddechrau. Mae'r gynghanedd (gwbwl naturiol) yn ei dal ynghyd, yn mowldio ac yn weldio'r geiriau i'w gilydd yn un cyfanwaith. Ac mae *yn* gyfanwaith. Dyma enghraifft o'r hyn y soniais amdano yn fy englyn iddo: gweld y mawr yn y mymryn, y byd yn grwn yn y gronyn. Mae'n dechrau gyda'r 'bach' – y '[c]iwbiau bychain gwyn', ac wedyn yn mynd at rywbeth llai fyth, yr hadau a'r grawn, sef yr hyn a roddodd inni'r ciwbiau bychain o fara yn y lle cyntaf. Y mae yma elfen hefyd o 'gwnewch y pethau bychain', a'r gweithredoedd bychain hynny yn arwain at rywbeth mawr. Y mae'r holl elfennau yn cydweithio i gynhyrchu'r cynhaeaf yma, a rhaid wrth ddyn i gyfannu popeth, i ddwyn popeth ynghyd. Mae dyn yn cydweithio â'r elfennau, holl rymusterau'r ddaear, i dyfu ac i fedi'r cynhaeaf. Dyn sy'n hau'r hadau; awel a gwynt a glaw sy'n sicrhau bod yr hadau hynny yn tyfu, a dyn sy'n medi'r cnydau – dyn yn un â'r cread, ond yn fwy na hynny, Duw yn un â Christ a Duw. Mae'r hedyn lleiaf yn y ddaear wedi cyrraedd Duw yn ei nefoedd. O'r hedyn lleiaf y tyfir grawnwin yn ogystal, trwy rym glaw a gwres eto. A 'gwydraid *bychan*', sylwer. 'Minnau a thithau' – y mae pawb ohonom yn gyfrannog o fendith Duw. Yn y fan hon, tynnir y ddynoliaeth oll i mewn i'r gerdd; a'i 'elfennau O', elfennau Duw, sef haul a glaw ac awel, sy'n rhoi inni'r bara a'r gwin, a'r bara a gwin yn rhoi inni gymundeb â Duw. Ac ni ddylem esgeluso na diystyru'r mymryn lleiaf o'r hyn a enillir, sef y cynhaeaf, yn y lle cyntaf, ac wedyn ennill bendith Duw, a chymundeb â Duw. Ni ddylid esgeuluso na dihidio'r pethau hyn, yn rhannol nac yn gyfan ('gweddill gwaith'). 'Ac yn ei bair', wedyn. Pair dadeni dyn yw hwn, geni dyn o'r newydd yn y ffydd trwy gymundeb y gwin a'r bara. Dyma soned rymus a meddylgar.

Mae Norman Closs Parry yn fardd celfydd hefyd. Sylwer ar y mynych gyffyrddiadau cynganeddol a chynganeddion cyflawn a geir yn ei gerddi. Ac mae'n defnyddio'r gynghanedd i roi graen ar y dweud ac i roi gwedd gaboledig a gorffenedig i'r canu. Yn 'Hyn Yw'r Sacrament', sylwer bod dwy gynghanedd yn y llinell 'un rhan o'r ennill, dim mwy na'r gweddill gwaith'.

Hyderaf y bydd darllenwyr eraill yn cael yr un boddhad ag a gefais i yn y cerddi hyn.

Alan Llwyd

Myfyrdod ym Mynwent Macpela, Deiniolen
(Y dydd Sadwrn cyn Sul y blodau, 2016)

Mae brenin a'i frenhines yn y gro;
   fan hyn, ers deugain mlynedd, mwy neu lai,
rwy'n dod, o barch a chariad yma, dro,
   i ddweud fy nghwyn, i'w cael i faddau 'mai.

Eu lle disyfyd wedi symud sydd
   ers dyddiau'r dagrau a'r gorffwyso mawr;
gyrrodd yr heth eu rhenc, ers llawer dydd,
   ryw un-yn-ôl. Maent yma'n un yn awr.

Bob dydd pen-blwydd, bob Pasg, fan hyn y dof,
   a phob Nadolig i oleuo'u bedd
â chelyn coch yr Ŵyl, a dwyn i gof
   y dyddiau gynt, eu helynt hwy a'u hedd.

Heddiw â'r dilyw daffodiliau'n ias,
balch wyf o'r trysor dan y garreg las.

I'm Rhieni

Enaid hoff fu'n gennad hedd
Yn dawel hyd y diwedd.

J.H.M. (1976)

Ni fu'r un storm yn ormod,
heddwch a nef oedd eich nod.

N.C.P. (1991)

Dros ysgwydd y blynyddoedd ciliodd oes
er pan breswyliem mewn byd moethus-dlawd,
fel pawb o'r hen gymdogaeth dda ei moes,
a ninnau'n byw yn unol, frawd wrth frawd;
hir heulog a hirhoedlog oedd ein haf,
a'r holl aeafau'n rhew ac eira'n daen,
ond haf neu aeaf, roedd yn dywydd braf
o fewn y cartref uniaith, moethau plaen
a sicrwydd cynnes, er pob ceiniog brin;
ac os oedd byd a bywyd weithiau'n bwn
fe gadwai Mam y cartre'n lân fel pin
mewn papur, a meddai 'Nhad ddiwylliant crwn.

Â'm bywyd innau heddiw yn hwyrhau,
rhown fyd am gael dweud 'Diolch' wrth y ddau!

Tawelwch

Gofynnodd ffrind i mi, yn ddwys, pan fu
    farw fy mam: 'Be 'nei di â'r hen le,
rwan â'r ddau 'di mynd, ai gwerthu'r tŷ,
    neu'i gadw o i'r teulu ddod tua thre'?'
'Wyddost ti ddim, peth da, efallai, fydd
    cael cainc i glwydo arni ambell dro
o gyrraedd stŵr a berw'r byd, rhyw ddydd,
    a siawns i drampio eto drwy'r hen fro ...'
Fe lifodd llawer iawn o ddŵr o dan
    bont Penllyn, ond, er hynny, yma'r wyf
yn mynd yn hŷn, yn 'sgota peth o'r lan,
    a bellach, ni chynhyrfir gan un rhwyf
Lyn Padarn, ond, lle bu 'sioe' dahlias 'nhad,
mae plant fy mhlant yn chwarae'n iaith eu gwlad.

Y Bladur Gynnar

Ebrill, yn ôl un bardd, yng ngeiriau'i gân,
   yw'r mis creulonaf, nid y misoedd crin;
Er bod y lelog eto'n ir a glân,
   glendid nid oes oblegid gaeaf blin.
Mae gobaith mewn deuoliaeth, ar un llaw
   harddwch dihafal, lle ddoe y bu
eira yn drwch, ac yn plancedu draw –
   eto'n cynhesu pridd y ddaear ddu ...
Fel hyn y bydd hi bellach ym Mwlch'llan,
   a phan ferwina'r rhynwynt rosydd Traws,
bydd eco yng Nghwmorthin, drwy bob man,
   i'n hargyhoeddi, heb wneud dim yn haws,
mai Chwefror ac nid Ebrill yw'r mwyaf brwnt:
dau John, Merêd, fe'u cipiodd i'r tu hwnt.

'yn ôl un bardd': T. S. Eliot yn *The Waste Land*
'dau John, Merêd': John Rowlands, John Davies a Meredydd Evans

Y Ddau Walcott

Clyde Walcott gynt, ac yntau'n un o dri,
  oedd imi'n arwr, y cricedwr cain;
tri sicr eu hannel â'r bêl o'r Caribî
  oedd Walcott, Ramadhin a Valentine.*
Yn y pumdegau, Clyde a waldiodd hwyl
  i'r gêm sidêt, a rhoi ei dîm ar frig
timau byd criced, gan droi pob gêm yn ŵyl
  â'i chwarae 'calipsoaidd' a di-ddig ...
Caed Derek – Walcott arall – yn y llun:**
  hanesion ei hynysoedd oll a'u rhawd
a roes i'w hil, fel 'Omeros' ei hun:
  dramodwr, bardd a phaentiwr, heriwr ffawd.
Y batiwr ynteu'r bardd – pa un o'r ddau
y mae'i gyfaredd fwyaf yn parhau?

*tri chricedwr enwog o'r Caribî: Clyde Walcott, Sonny Ramadhin ac Alfred Louis Valentine

**Derek Walcott: y bardd o St Lucia yn India'r Gorllewin, awdur y gerdd epig *Omeros*, a seiliwyd ar *Yr Iliad* Homer

Hyn Yw'r Sacrament
(Wedi'r cymun yng Nghapel Coch, Llanberis,
bore Sul, Ionawr 9, 2011)

Torri'r tafellau'n giwbiau bychain gwyn;
unwaith bu'r rhain yn hadau ar erwau o rawn,
cyn i law ac awel a haul ar yr erwau hyn,
ynghyd â dwylo prysur, greu llafur llawn.
A'r gwydriad bychan, y melys-ar-wefus win,
ffrwyth y llechweddau neu'r terasau tes –
aeddfedodd drwodd, parod oedd i'w drin
o feithrin rhin y grawnwin gan y gwres.
Minnau a thithau, o'i elfennau O,
cawn hoe a swper wedi her y daith,
a'r siars ddi-ffael i beidio â gadael dros go'
un rhan o'r ennill, dim mwy na'r gweddill gwaith,
ac yn ei bair fe gafwyd gwin a bara,
drwy'r ddefod wâr, wedi'r aeddfedu ara'.

Y Cwpan

Wrth edrych ar fy nghwpan
 a'i luniau pysgod braf,
rwyf eto'n troedio torlan
 ar hwyrnos ros o'r haf
nes cael o'r enwair fiwsig
ger dyfroedd llynnoedd unig.

Nid brithyll ac nid eog
 yw'r rhai a leinw 'mryd:
daw blaidd y dŵr a'r draenog
 ac atgof am eu byd
â chwip yr hirlwm arnaf
yn harddwch noeth y gaeaf.

Mewn dyffryn a mynyddoedd,
 iseldir, tirlun bras,
diflanna'r holl flynyddoedd
 wrth gofio gwlyptir bas,
a'r gwalch o'r nef yn plymio
a'i grafanc ddur yn taro ...

Os oeri a wna'r coffi
 neu'r ddisglaid boeth o de,
nid claear heno deithi
 atgofion 'seithfed ne' ...
cors a hesg, craig a cheulan
byr yw bod; llawn yw'r cwpan.

Y Ddau Ddraenog

Anifail digon pigog
i bobol ydi'r draenog;
fe'i gwna ei hunan megis pêl
pan ddêl ar lwybyr llwynog.

Mae draenog arall – 'Perca' –
i'r gwyddon a byd 'sgota:
pysgodyn 'garw' ydyw hwn,
lliw cacwn crwn – gan amla'.

Ers dyddiau Oes yr Iâlif
(mewn amser canrif canrif)
mae hwn yn seren fawr ymysg
y pysg o oes y rhewlif.

Mae'n gartre' i'r brithyll smotiog
a'r siwin môr a'r eog,
y torgoch prin, ar 'slywen ddu –
Ond ni dŵr ni fu i'r draenog.

Pa fodd y daeth i ddyfroedd
Eryri mewn niferoedd,
a'i adain gefn fel bachau cas,
pysgodyn cras merddyfroedd?

Mae'n claddu cyn y c'naea'
ac nid ar riniog gaea',
a'r iâr yn dodwy miloedd glân
o wyau mân – fel perla'.

O sathru'r wyau, gludiant
fel mwclis lle gorweddant:
os hwyaid gwylltion neu ryw ŵydd
a'u mathra, rhwydd y glynant.

Hedant i Ddyffryn Peris
o'r Brenig i Lanberis,
a'r perlau byw sydd ar eu traed
a'r bywiol waed o'r mwclis

Yn Alwen a Llyn Tegid
yn rhan o'r drefn, ond odid,
'does neb yn poeni am eu bod –
fel pechod rhaid eu hymlid!

Ond Padarn sy'n wahanol,
mae'r torgoch lleiafrifol
a'i lwfans prin a'i ffordd o fyw,
nid felly'r cyfryw nerthol ...

Mae lle i bob creadur
yn syms hafaliad natur;
mae i bob peth ei nych ei hun
yng nghynllun rhod ddidostur.

Pa le y mae'r gwirionedd?
Pa le y mae'r cydbwysedd?
Yng nghwrs datblygiad bod a budd
mae rhybudd mewn gormodedd!

Geirfa

merddyfroedd: lluosog merddwr, *sluggish waters*
cras ... garw: *course* (fish), teulu'r draenog
rhewlif: *glacier*
claddu: *spawning*
mwclis: *necklace*
hafaliad: – equation
gludio: *to stick*

Hen Benillion Newydd
am Bysgod Dyffryn Peris a'u Stad yn 2010

Yn Llyn Padarn mae brithylliaid;
yn Llyn Padarn mae torgochiaid;
derfyn haf, o fae Caernarfon,
yma i gladdu fe ddaw'r samon.

I Lyn Padarn daw pysgodyn,
a hwn ydyw y gwniedyn;
brithyll môr, efallai siwin,
neu goch y dail i'r hen werin.

Yn Llyn Padarn mae llysywod
a mil myrddiwn o'r hen sildod ...
pan ddaw Tachwedd ddu i'r henfro
nofia'r slywod am Sargasso.

Wedi'r claddu, wedi'r gaea',
wedi sbel yn nŵr y fangra,
geilw'r môr rai'n ôl i besgi,
y Chwefroliaid yn Eryri.

O Lyn Padarn fe â'r samon
ymhell fel kelt drwy fae Caernarfon;
yntau'i gefnder – y gwyniedyn –
yn hyll a main – rêl hen lipryn.

Yn Llyn Padarn mae 'na wenyn
a all ddeffro unrhyw wanwyn;
os na ddeffry'n hawdurdoda'
erwau'r pysg a lwyr ddiflanna.

Hen benillion newydd. *(H. P. Hughes*

Y Pysgotwr
(Rhydd-gyfieithiad o 'The Fisherman' W. B. Yeats)

Fe'i gwelaf ef o hyd –
Llawn brychni haul – ar dro
Yn codi'r drem a'i fryd
Mewn brethyn llwydliw'r gro
Ar wawr i chwipio'i blu.
Mae'n oes er f'ymdrech glir
I alw'r hwn a fu'n
Wladwr syml-ddoeth yn wir.

Bob dydd , am wyneb cry'
Y chwiliais, i roi i'm hoes
Realaeth yr un a fu'n
Gynnyrch o'i wreng a'i moes;
Y byw oedd gas ei le,
Y marw a gerais – do:
Y llwfrgi yn ei dre,
A pherson powld y fro –
Y gwalch a heriai ddeddf,
Y castiog ŵr wrth reddf,
Y meddwyn llac ei fyw
Â'i sgwrs i bawb a'i clyw,
Y peniog ddyn, a'i lais
A'i ddywediadau clown,
Trechwr y doeth drwy drais,
Sathrwr celfyddyd lawn.

Bellach aeth blwyddyn gron,
Daeth amnaid rhaid i'm rhan;
Mewn gwg ymchwyddodd ton,
Ailgododd llun y fan;
Ei wyneb haul-a-hin
A'i frethyn llwydliw, cras,
Yn dringo'r gelltydd blin
At ewyn, craig – ac ias.
Â'r plu i'r pwll a'r crych,
Y dyn nad yw yn awr,
Nad yw ond breuddwyd gwych.
Gwaeddaf cyn colli'r dydd;
Rhof hyn i gyd i lawr
Mewn gwefr o gân y bydd
Ei hangerdd fel y wawr.

Gobaith

Trwmpedau aur a daniodd fardd,
gweld glan y llyn a'r coed fel gardd,
a dawns obeithiol lluoedd hardd
   o ddaear friw;
gwanwyn o'r rhengoedd hyn a dardd
   mewn pant a rhiw.

Prydferthodd Blodau Dewi gell
Glyn Rhosyn yn y dyddiau pell,
a'i neges gref fod gwanwyn gwell
   i'w wlad a'i gwreng,
yn obaith wedi'r hirlwm hell
   a byd oedd ddreng.

Ond lluoedd mwy na glan y llyn,
na llawr y coed, nag ochrau'r Glyn,
a oedai'r cam, o'r porth fan hyn,
   cawn deimlo'r ias
yn erw Duw – y neb a fyn –
   ar garreg las.

A hi yw Lili'r Grawys prudd,
y paratoi am Ŵyl y Ffydd,
y Groes, y bedd, a thrydydd dydd
   ei haul – ein Llyw,
a gwres o'r fflam a dania'r gwŷdd
   yn foliant byw.

Gobaith.

Gwyddfid

Â'u gwyleiddwch ar gloddiau a llwyni,
   Llenwir yr holl ddyddiau
  Hir o haf, a hi'n hwyrhau,
  Â sawr atgofus oriau.

Gwyddfid.

Uwch 'Maen y Fodrwy'
Mai 19, 2015. 10.30 y bore

Roedd cenllysg brwnt mewn cawodydd,
  roedd cyllell yn llaw y gwynt;
roedd siglo ym mrigau'r onnwydd,
  ond dot uwch hafod dy hynt.

Ble y buost ti gyhyd eleni?
  Ble y gelwaist ti ar dy hynt?
Ble buost, a minnau'n cyfri
  bob dydd, er y glaw a'r gwynt?

Ti wyddost fy mod bob blwyddyn
  (ti wennol uwchlaw pob gwynt);
ti wyddost bob stryd a thyddyn,
  a llechi'r hen gartref gynt?

Mae Mai wedi hanner darfod
  heb un wennol ddu – â'i stynt;
nid Mai yw cyn-haf eni hafod
  heb dy ddu yn gwanu'r gwynt!

Ond nawr, mae popeth yn heulwen,
  yr wyt ti yn ôl – fel cynt,
fel bwa-saeth drwy'r ffurfafen,
  ond rhyw drimis byr yw dy hynt.

Bydd y rhod wedi cyfannu
  un daith o'i llwybyr ar hynt
os cedwir ni eto i ddathlu …
  mae'r ateb – fel chwa o wynt!

Carol y Pedwar Amser

Daw'r gwanwyn yn ei dro
  i'r fro o'r tri mis llwm,
ac awel Erin fel y gwin
  dros ffin pob dôl a chwm.

Daw trwch i'r cnydau i gyd
  a'r byd yn ffwrn a gwres:
cynhaeaf derfyn haf – a'r haul,
  araul pob man drwy'r tes.

Y fedwen arian dal,
  dihafal fathdy coeth
yn llog i'r hydref – pawb a wêl
  Fihangel – g'lwyddgi noeth!

Carolau'r seren wen
  uwchben; angylion gwych
yn gwahodd pawb i'r freiniol wledd
  a hedd – o lety'r ych.

Dim Byd Tebyg – 2.00 pm 19.5.17

Cefais yr onglau roeddwn eisiau
   â'r haul yn yr union le iawn;
roedd llwyni'r mynydd mewn blodau
   ysblennydd yng ngh'nesrwydd y pnawn.

Pistylloedd o hufen y ddraenen
   a'r efwr yn eira dan draed,
cwilt lapis laswli'r ddaearen
   nes ffrwydro fy meddwl a'm gwaed.

Eithinen a banhadlen fel ffowndri
   yn tywallt eu tawdd hyd y rhos
a'r aur fflamboeth heb ei gaboli
   yn llifo o'r bencydd i'r ffos.

Cymerais ryw ddwsin o fframiau
   a'r cyfan, gan gynnwys y glog
a'r llwyni, yn brifwyl o flodau –
   ond yn goron – bwtias y gog!

Ond pan ddeuthym adref, ac edrych
   ar ganlyniadau 'nhechnoleg gain –
di-fflach a fflat oedd y clychau ceinwych –
   llaeth enwyn oedd hufen y drain!

Mae gennym eiriau fel 'rhyfeddod'
   a rhai disgrifiadol fel 'paent',
ond mae pellter nefoedd a gofod
   yn bod rhwng llun lliw, ac fel maent!

Hen Eco y Co' a'r Cur ...

Englynion

Englyn i ddiolch am ddiwedd cyfnod mewn ysgol

Diolch a wnawn yn dawel o gofio
  pob gofal aruchel;
  deigryn syn, gan faint y sêl,
  a gwyd yn awr y gadel.

I Enid Jones, Rhuthun
(Mam Robat Arwyn, yn 90 oed)

Fach Wen sy'n rhan o Enid; yn y cof
  mae cyfoeth o'i hie'nctid,
  hen fro, hen werthoedd, hen frîd –
  addfwyn fel nos o wyddfid.

Hedd Wyn: Canmlwyddiant y Gadair Ddu

Ei Ysgwrn oedd esgyrn hwn, a'i Feirion
  oedd ei fêr, ond gwaetgwn
  i'r gyflafan yn Annwn
  o'u bodd a'i gyrrodd â gwn.

Penillion

Bob Sul roedd tri chyfarfod;
bob Sul roedd dysgu adnod;
bob Sul caem datws popty Mam –
paham yr holl ddiflastod?

Tân coed yng ngrât 'Cwt Golchi'
yn llawn o angar berwi;
a chyda lwc, a'r dydd yn ffein,
y lein oedd bron â thorri.

Hen ddefod dydd Mawrth Crempog
oedd canu yn undonog
o dŷ i dŷ fel robin goch
yn groch i Elin Enog.

Rhyw ddigon diddrwg-didda
bob wythnos oedd ein Difia',
'rôl hwn, ond 'fory eto i ddod
cyn bod ein diwrnod chwara'.

Agor …

Agor y llygad i'r dydd:
  "A sut mae'r tywydd –
ai braf ai stormus a fydd?'
  â'r awyr yn gyffes.

Agor y drws i'r wawr
  a gwrando … o'r coedydd
daw'r gerdd o'r nef i'r llawr
  i'm clyw, yna i'r fynwes.

Agor y tap dŵr poeth
  a'i redeg drwy hidlydd:
dwylaw a bysedd noeth
  i'w deimlo'n gynnes.

Agor gwefus i lwy,
  blasu o'r cynhwysydd-
"Angen halenu mwy,
  neu bupro'r potes?"

Agor ffroenau i'r hwyr,
  gwyddfid-beraroglydd
dros fro'n llesmeirio'n llwyr
  o'r ddaear, y dduwies.

Agor meddwl i'r pen …
  gweld pob hen yn newydd,
cipdrem wrth godi'r llen
  ar undod mewn cyfres.

Rhod yr Amser

Pan fo'r hin yn dechrau oeri,
dail yn chwil o'r coed a'r llwyni;
cesyg gwynion ar y gorwel,
gaeaf arall sydd yn gafel.

Wedi'r Ŵyl a'r holl ddanteithion,
wedi'r Calan a'i freuddwydion,
daw pob dydd, a rhoddir inni
un cam ceiliog mwy o oleuni.

Daw, fe ddaw yn Ŵyl San Ffolant,
A daw wedyn Ŵyl ein nawddsant:
dewrder eiddil yr eirlysiau,
Cennin Pedr, aur drwmpedau.

Glas y derlwyn, glas y dorlan;
glas y wennol, glas y garan;
glas y tonnau, glas yr eog;
glas mis Mai fel parlwr perlog.

Amser Tymhorol

Bu artist cudd yn paentio'r cwm
    eleni, fel erioed:
addurnodd erwau'r llethrau llwm,
    gorchuddiodd frigau'r coed.

Manet, Van Gogh – pob paentiad drud
    o'u heiddo'n ddim tra bo
yr hydre'n gryf ar ganfas byd
    a'r effaith drwy'r hen fro.

O edrych tua'r bwlch dros lyn
    a'r coedydd ar bob llaw,
porffor breiniol yw grug y bryn,
    bathdy yw'r bedw draw.

Tawdd efydd newydd yw'r hen allt
    â'r deri arni'n troi,
a daw rhyw ddeigryn rhydd a hallt
    o'u gweld i gyd yn ffoi!

Mawl Adar Mai

Daw'r afr yn ôl i'r awyr
    a hi'n fin nos
gan droelli fel mewn gwewyr
    rhwng gwig a rhos.

Daw gwennol ddu i'r toeau
    o'r gofod glas,
gan sgrechian ar fin nosau
    aruthrol ras.

Daw côg yn ôl â'i deunod
    i Goed y Glyn;
dinoethi a dwyn nythod
    adar a fyn.

Daw chwiban prudd gylfinir
    fel bugail cudd
o ffec a chawn y rhostir
    drwy'r nos a'r dydd ...

Daw pibydd 'nôl i'r glennydd
    a'i ddart a'i chwib ...
a'r hebog dros y gelltydd
    ar gwrs o'r grib.

Daw tingoch a'r clep cerrig
    i'r waliau sych,
hen eirfa fendigedig,
    sylwadaeth wych!

Daw'r hithau Sipsi Geltaidd
    a'i choesau tân
i bigo'r tywairch hafaidd
    am forgrug mân.

Yn ôl mae'r côr teloriaid
    i glust a glyw
drwy'r dail yn ceisio piwaid
    i gadw'n fyw.

Yn rhan o'r byd naturiol
    a'r cread crwn,
fe rônt ryw wedd ysbrydol
    i mi, mi wn.

Mae'r holl enwau adar hyn i'w cael yn *Llyfr Adar Iolo Williams – Cymru ac Ewrop.*

Y Sipsi Geltaidd

Nid yw Allt Moses ar yr Wyddfa'n ddim
yn ymyl yr un sydd uwch cei Dunquin
'an Gaeltacht'! Ffurfiau'r creu'n llawn adar chwim
ninnau trwy'u cri yn profi rhywbeth prin!
Yma ac acw, daw, wrth aros tro,
barchedig ofn, gweld o glogwyni'r hafn
wylanod, morfrain, adar drycin bro,
yn herio ffrwydro'r aig – heb falio dafn!
Draw dros y swnt y mae'r an Blascaod Mór,
cynefin gwerin goll o feirdd hen foes
a'u Henlli – a'r Iwerydd gwyllt eu stôr,
meistri'r curragh ar hynt mewn cerrynt croes ...
O'r hollt daeth dwy frân goesgoch – ias-hyd-fêr:
dwy Sipsi Geltaidd, fel rhai bwlch Llanbêr !!

curragh: cwch unigryw'r ynyswyr wedi'i wneud o grwyn; tebyg iawn i'r cwragl.

32

Bwncathod

Fel pe bai'n ddoe ddiwethaf yn y byd,
cofiaf i mi, ar ddiwrnod glas o haf,
gerdded hyd Ffordd Gefn Coed Llyn Helyg glyd
gan gyfri'r nifer adar, fel y gwnaf
bob hyn a hyn. Smotyn yn y glas maith
a welais i … aderyn prae lliw brych
yn hwylio'r nen, a minnau'n gwylio'i daith
drwy 'ngwydrau cryf … ameniai'r haul yn wych!
Ond bellach, nid oes cyffro ar stryd y dref
na min y ffordd, na chynefinoedd gwlad,
wrth weld bwncathod yn awyr-blanio'r nef
a hwythau eto'n awr yn sicr eu stad …
Derbyniwn mor ddi-feind yr adar to,
hyd nes daw'r dydd yr holwn: 'Ble mae o?

Craig yr Undeb
(ar ochr Llyn Padarn – y dyddio o'r cyfnod cyn-Gambriaidd; yno y sefydlwyd Undeb Chwarelwyr Gogledd Cymru yn 1874)

Mae olwynion melinau yr eonau rhith,
wrth rygnu, yn bychanu cyfnod ein bod,
nid yw'r dyddiad a'r dyddiad ar oriawr amser ond fel doe;

a'n rhychwant, ni boblach, onid bach yw cylchdro ein byw?
Y ni, sy'n mynnu rhannu a dosrannu mawredd pob rhod
a rhoi mesur ein rhawd ar flynyddoedd y canrifoedd coll.

Wrth aros i ymson dros hirnos amser
lle mae'r creigiau goffrau, rhai rhy hen i'w hamgyffred,
beth, meddwn, yw tro chwe chan miliwn mwy?

Crib Craig yr Undeb yw rhandir yr enaid
heddiw lle'r ymdeimlir ag egwyddor
hen griw a oedd a'u defnydd mor galed â'r graig.

O aros hyd ei herw daw'r cerrig i siarad
am y cwynion, am y cyni, am hogia'
na falient am filawd na hynodrwydd creigia'.

Fel gwynt traed y meirw'n creu llanw'n y llyn
islaw, di-fraw oedd ymchwydd pob dyn – iawnderau,
amodau, a hyder newydd oedd nod eu hundod a'u her.

Ymlynent wrth Graig; cychwynnent o'r Groes
yn glir: I'r Arglwydd cenwch lafar glod, gan gloi,
a glynu i'r carn wrth Arglwydd Dduw Rhagluniaeth.

Dihwter, di-drên-llechi yw'r llechweddi yn awr uwch y llyn;
diffrwydrad, diganiad y gwaith. Mae'r gwynt yn murmur ei gŵyn,
ac ynddo mae lleisia'r hogia' nad ydynt rhagor.

Ffiar Injan (Yr Allt Ddu)

Crawcian mae'r gigfran uwch y gwaith di-gorn ...

Ysbrydion a dry'r olwynion hen
o glo eu rhwd i rithmau rhowlio rhydd
gynt pan lybeindiai giang
o hogia' canlyn-wagan
ar ôl llenwi'r wagenni wast,
yn damio wrth fustachu i ben draw'r doman,
a hoelion mawr eu 'sgidia'
yn cordio â'r cledra' –
clem yn cynganeddu clec
a throi'n alaw wrth ffrwcsio dros y crawia'.

Celfi a wagenni'r wal yn bentwr rhacs,
ddoe roedd dwndwr a hwyl
o'r sied a'r sinc;
heddiw di-do yw ...
celwrn gwag a thalwrn y gwynt
o'r lle y daw atsain yr ubain erch
yn llafn trwy wain fy meinwe.

'Does ond byd di-drwst coed bedw a drain,
lle bu'r poncia' a'r tylla'n llawn tacl –
yma bu corynnod y creigia',
yr hogia'n hongian trwy bob hin
yn tyllu, ebillio, fel cnocell y gelli,
a'r rhai iau, o reddf yn cadw reiat,
wrth ei gwadnu hi am y caban 'mochal ffiar.

Esgyn, a rowndio a wna'r brain coesgoch
obry o'r Hariat fel ceir c'nebrwn
a rhyddfraint y seintwar
yn eiddo iddynt;
a'r geifr hanner gwyllt
o'u crwydro yn tenantio'r twll;
a gwalch o ben y Giarat yn marcio'i grawan gownt
am ei gyfri mawr o'r clogwyni mud.

Grym y Gogoniant
(Thema arddangosfa yn Oriel Llanberis, Haf 1995)

Un rhyfedd, a chyn bob amser wyf i …

Llais cyfrin dewin yn dod o'i guddfan
i lenwi'r amgueddfa,
yn synnu, yn swyno'r miloedd ymwelwyr,
i anghofio'r graith wrth ddisgrifio'r grid
yn gawg o ynni a gogoniant.

Rhaid, rhaid gweld y rhyfeddod, yr hyn
a wnaed o glyfrwch celfydd oes
yn y mynydd hwn.

Daw y llu mewn helmedau llathr,
diddirnad o drwsiad na'r drin
a fu yn oes capia' carpiog yr hogia'.

O glydwch y bws bach gwyrdd,
holgar eu hawch i weld y wyrth.

Yna trydenir eu hedmygedd gan fawredd y fan,
grym dŵr cyflym yn diwn undonog,
hym dragwyddol olwyn y tyrbin yn troi,
yn creu, yn goleuo …

Hyn, lle bu gwell gogoniant.

Y Pum Santa

'Does bosib nad fel hyn yr oedd yr Ŵyl i fod?
Na, yn ein dyddiau ni y gwnaed hi'n dipyn o stomp.

Nid oedd yn y wlad honno archfarchnadoedd
yn agored ddydd a nos, trydan yn sbarcio trimins;
nid oedd yn y wlad honno uchelwydd a chelyn –
ond roedd yno ddrain – O, oedd, roedd yno ddrain!

Nid oedd yn y wlad honno *Top of the Pops* Nadolig
ond, y noson honno fe ddaeth
Gloria in Excelsis Deo,
cân a fydd hyd fyth ar frig y siartiau.

Nid oedd yn y wlad honno,
mwy na mewn llawer o wledydd heddiw,
wir ddiddanwch – pobl wedi eu gormesu oeddynt –
dyna pam y daeth y noson i fod!

Dyna pam y denwyd bugeiliaid garw
dosbarth gweithiol o'u praidd;
i'r rhain roedd rhaw yn rhaw a llygad yn dyst.

Dyna pam yr oedd pendefigion o'r cenhedloedd
o'u palasau crand a'u moethau
wedi dilyn rhyw Haille Bop o gomed
dros ffyrdd anghynefin am flynyddoedd ...

Dyna pam y bu yno bum Santa, y Nadolig cynta';
agorodd tri ohonynt anrhegion: aur, thus a myrr.
Sant oedd Joseff y saer yn sicr –
os meddyliwch am y peth!

Ond ei fam, Santa Maria, a roes y presant mwya';
Hi a esgorodd ar y Duwdod fel baban i'n byd.

Na, nid mewn crud ond mewn mansiar y rhoddodd hi Ef,
a beudy, a'r troeth a'r biswail yn awyr y feithrinfa ...

Ond yn y wlad honno yr oedd yno ddiawlineb,
hyd yn oed y bore bendigaid hwnnw –
roedd yno ddiawl – Mugabe o ddyn oedd Herod,
yn cynllunio byw am byth ...

Nid oedd hwn yn gweld nad oes i ni ddinas barhaus,
a phia' ni ddim byd yn y bôn ...
rhaid gadael y cyfan ...

Ond yr oedd yn y wlad honno hen addewid,

hen obaith, a hen ddisgwyl ...
Ac yn ddisymwth y daeth
Gogoniant y Goruchaf yn Dduw.

Fe wnaethpwyd y Gair yn Gnawd,
yr annisgwyl disgwyliedig,
yr Immanuel,
ar fore fel heddiw.

Pum Santa.

Eleni Eto – Nac Ofnwch

Mae'r fro mewn cynnwrf a'i phobl yn chwys
o TESCO I ASDA , SAINSBURYS – Ar Frys!

Rhuthro a gwthio gan lenwi pob trol
yn orlawn o nwyddau (nid llesol i'r bol).

Draw acw mae adran y gwirod a'r gwin,
rhai clir fel nentydd, rhai rhuddgoch fel min.

Yna rhoi cyfri i geidwad y gell –
talu trwy blastig – mae yfory ymhell.

Mae'r strydoedd yn wreichion o liwiau hud,
lluniau, symbolau o wledydd y byd.

I ganol y miri daw miwsig a thonc
a phawb efo'i ffôn wrth ei glust am glonc …

Wedi ymladd, dadbacio'r 4x4;
A! sieri bach sydyn – rhoi egni mewn stôr.

Eistedd ac edrych ar gardiau di-ri –
golygfeydd, Siôn Corn, a robinod ffri;

dynion eira, celyn, uchelwydd a sêr –
fflam ambell gannwyll yn diferu gwêr,

coed bythwyrdd yn drwm o barseli crand,
parti carolwyr, angylion mewn band …

ac UN cerdyn plaen ac arno'r gair HEDD
na cheir mono mewn twrci, plwm pwdin na medd!

Ond, 'rhoswch, mae eto ryw gyfran fach
yn dangos bugeiliaid, yn hytrach na sach

lwythog Siôn Corn – sêr-ddewiniaid doeth
â'u haur , thus, a myrr, eu hanrhegion coeth,

ac ymhle'r offrymant y presanta' gwych?
o flaen mansiar mewn toreth yn llety'r ych,

a saer cydwybodol a morwynig wen
yn cadw gwyliadwraeth y nos uwchben.

Baban bendigaid nad oedd iddo le
ond beudy a biswail ym Methlem dre',

a bygythiad Herod, a Chesar a loes
yn gysgod i'w breseb, ac arwydd o'r Groes!

Dyna wir reswm y rhuthro a'r hwyl,
a dyna paham y cadwn yr Ŵyl –

nid isio a gwario, a bod fel a'r fel:
daeth Iesu i'r byd – yr Imaniwel.

Mae …

Mae blaenau'r tai yn wybren o sêr,
pibonwy'n crogi o landeri'n las,
ar y talcenni; car llusg, clychau pêr,
a'r ceirw'n carlamu drwy'r gofod ar ras …
Mae svn byddarol archfarchnad y dre'
yn brifo'r clyw ond yn llwyddo â'i thric:
Bing Crosby farw yn fyw dros y lle –
tollbyrth pres plastig yw 'eira' bob clic.
Ond ble mae'r angylion a ddychrynodd y praidd?
Ble mae'r bugeiliaid, eu cyffro a'u brys?
Ble heddiw mae'r doethion o'r dwyrain oedd braidd
yn betrus o Herod a'i eilunod a'i lys?
Chwiliwn am hen stabal, seren a chrud;
Saer a'i ddyweddi uwch Ceidwad y Byd.

Mae 'gynnau gwynion' ar ôl gaeaf du,
mae'r lili yn concro'r tri mis llwm;
mae ym mlagur cynnar y coedydd lu
fel ym mhranc yr oenig ar lethrau'r cwm.
Mae ymhob tymor a chylch y rhod
a phob un ohonom yn ei dro;
Mae ym mhob gair caredig, mae'n bod
yn hwyl a thristwch cydberthyn gwe'r fro;
yn nyfnder nos neu ddwyster ambell awr
neu'r storm sy'n deffro hiraeth y fron …
ymdawelwn – rhag colli'r eiliad fawr,
ysbryd Crud y Crewr y foment hon …
pan ddaw adnabod drwy pob heth a'r drin
torri bara rhad – a'r gwefusiad gwin.

Ym Myd yr Holl Wybodaeth

Bellach nid yw 'sêr y nos yn gwenu'
fel y gwenent yn y nosweithiau yn nyddiau nain.
Bryd hynny, roedd nos yn nos
a'r nen yn ddiloeren o lân,
ac yn peri i ni, feidrolion, ddatgan
ein mawl wrth i ni edrych ar y nefoedd
i fesur gwaith Ei fysedd.

Nid oedd gwawl oren neon-oleuadau'r strydoedd
na llifogydd lliwiau llachar
hysbysebion ac addurniadau
yn halogi'r eangderau dyrys
nes cuddio – megis caddug –
brydferthwch Orion, Pleiades,
Arctarws, yr Arth Fawr, a'r gweddill di-ri,
na, nid yn nyddiau nain.

Yn y dyddiau hynny
roedd ambell noson oer,
noson glir, noson dawel dawel,
yn serennu'r dychymyg
nes bod yn y galon wres, yn clywed negeswyr
Y Newyddion Da, fel ton, ar don yn dod
dros y drum draw –
'Gogoniant yn y goruchaf i Dduw,
ac ar y ddaear, tangnefedd,
i ddynion ewyllys da.'

Y mae'n seryddol-wyddonol wir
fod sêr o bryd i bryd yn darfod
ond bod y pellter rhyngom mor fawr
nes bod adlewyrchiadau eu goleuadau ar gael o hyd,
ac yn sgleinio, yn wincio arnom ni
a hyn ar ôl i fam-seren ddisgyn
i ddwnjwn ebargofiant.

(Fel yma y mae hi efo ni, feidrolion, weithia'!
Goleuni ein byw yn goroesi ein bod ...)

A beth am y seren honno
a arweiniodd y doethion drwy drafferthion draw
i ddinas Bethlehem?
Ydi hi wedi llosgi'n llwyr?
Ynteu a ydi hi o hyd yn dod o'r dwyrain
ac aros uwch stabal ein brys diamcan –
ond yn ein ffwdan ffôl
nid oes gennym amser i ryfeddu ...

Tragwyddoldeb

Tragwyddoldeb sy'n Dy Ysbryd,
 oedd yn bod cyn bod un bod;
Ti yw'r fflach a daniodd fywyd,
 Ti yw lengthman ffordd y rhod.

Creaist ynni yn y mwrllwch,
 rhoddaist Air fu'n tanio'r nwy;
rhoddaist olau a thywyllwch;
 gwlith a glaw fu'n bopeth mwy.

Yn y golau bu esblygiad;
 yn y t'wllwch dacw'r sêr;
bydoedd eraill yn eu rhediad,
 ... ond ein planed – Eden bêr.

Drwy'r eonau – mân gyfnodau:
 Dy fraint Di, dirgelu peth;
o oes i oes fe roist feddyliau
 i ddatgloi y myth di-feth.

Tragwyddoldeb, tragwyddoldeb,
 dim ond cychwyn fyddi Di:
Duw'r Gorchymyn, a Duw'r Ateb
 Duw y Creu a Chalfari.

Ym myd yr holl wybodaeth

Diolchgarwch

Anorfod sy'n orfod yw; yn y mêr
  y mae er y dilyw;
  astrus mewn byd o ddistryw
  ein cred, ein dyled a Duw.

Castanwydden.

Goleuadau

O Fynwy i Fôn, mae Cymru ar dân
gan filoedd ar filoedd o wreichion mân.

Cefn gwlad a stadau, bob dyffryn a bryn
fel hydref ym Mlacpwl yr ardaloedd hyn.

O dan ambelll fondo, pibonwy clir.
plu eira'n disgyn dros gartrefi'r tir.

Cymeriadau rhith, pantomeimiau hen,
cyfarchion 'Dolig yn amrywio'n glên.

Ceirw yn tynnu yr hen Santa Clôs
a'i gar llusg yn llawn, dan lenni'r nos.

Fel tân bach diniwed mae coed y dref
â seren blastig yn byseddu'r nef.

Ffenestri'n ganhwyllbren Hannukah tlws,
torch artiffisial yn wincian ar ddrws.

Tonnau o liwiau yn symud fel môr,
yn ymchwyddo'n hardd cyn arllwys ei stôr.

Technoleg mewn dathlu, busnes mewn hwyl,
newid disymwth ar bwyslais yr Ŵyl ...

Craidd yr ysblander a phwerdy'r sioe
yw'r lectrig sy'n dallu goleuadau'r ddoe.

hwnnw, pan welai pob gwladwr y wyrth
mewn celyn ac eiddew, mewn carol, a phyrth

yn agor i stabal, a'r Forwyn Fair
yn gosod Meseia mewn mansiar gwair;

côr o angylion, bugeiliaid o'r rhos;
doethion, camelod, dan wawl seren dlos –

y rhain oedd chwaraewyr miraglau a moes
y preseb anifail dan gysgod croes.

Ble heddiw'r gwreichion, ble heddiw'r sôn
a'r trydan a oleuodd o Fynwy i Fôn.

Glas y Dorlan (*E.W. Griffiths*).

Meirion
1929-2015

Penisel yw pob Carmelyn heddiw
   ar ddydd ffarwél sgwlyn;
  daeth arfaeth gyda therfyn:
   hwn, yn glaf, yng ngenau'r glyn.

Ei nef fu'r hen gynefin, y gŵr gwâr
   a garodd y werin;
  rhodiodd â'r rhai cyffredin
   hyd y ffordd gan warchod ffin.

Fab y mans, ŵr o ansawdd, un â bys
   ar byls byd a'i hinsawdd,
  a'i Arglwydd iddo'n forglawdd –
   hyn ei nerth, ei gred a'i nawdd.

Byd Cristion, byd daioni; roedd un fro
   iddo'n fraint o'i eni;
  atgofion Meirion i mi'n
   agos at 'Fabinogi'.

Erioed eithriad o athro oedd a roes
   Dduw'r oesoedd i'r Cymro
  â'i 'sgleictod, yn frôd o'i fro –
   anrhydedd oedd ei rhodio.

Sosialaeth, undebaeth, Dyn; un â'i Grist
   a'i Groes, un â chyd-ddyn –
  y wyrth fod pawb yn perthyn,
   roedd synnwyr llwyr yn y llun.

Dethol o fyd cymdeithas, byd y Beibl,
   byd y bobl a'u hurddas,
  y manion – a'r gymwynas,
   yn gryf dros deulu a gras.

Yn dawel daeth y diwedd, ei enaid
   esgynnodd o'i orwedd
  i hafan y Tangnefedd
   ac o'i gur, i haeddu'r hedd.

Y Mae'n Aros ...

... tangnef cynefin.
tirwedd a'i edafedd hen ...

Uwch y cae, ffliwt brych y coed
a galwad pigfelen o onnen noeth.

Yn Chwefror daw'r tractor trwm
i'r tir â gwynt o'i chwalwr tail.

Alcemi mwg coelcerthi Mawrth
a dynn rithiol atgo' am danio'r eithin.

Wrth loywi swch daw cwysi syth
a chorws o wylain a brain braenar.

Mae'r golau o ganhwyllau Mai ar gilio'n
wyrthiol i greu llygad sipsi o gneuen.

Seren o ehedydd yn gawod o nodau,
tra derfydd deunodau cogau'n y cwm.

Stond yw daear fel pe'n aros,
Llwyfan cyn aur y llafur.

Mae piser gwyn yn hanner gwag
a gweflau lliw gan blant y parciau llys.

Clochdar nerth pen a chlap adenydd
o goed y nant, ffesant ar ffo.

Wedi'r llafur y gweithwyr a gânt
yn y llan arogldarth buarth a bwyd.

Daw'r eidion â'u traed yn sugno mwd yr adwy
at ffermwr sy'n fforchio bwndel o gêl o'i gert.

Hen dinsel, uchelwydd a chelyn,
a charol, mansiar ... a chariad.

Glas y Dorlan

Ar hyd y rhyd fflach o drydan; eiliad
  a ddaliodd fyd cyfan;
  nid oedd ond mellten o dân
  yn gwelwi tlysni'r geulan .

Pyrrhocorax Pyrrhocorax

Sefyll a wnes ar 'sgwyddau un o'r cewri ...
Moses Glyn a roes y Lladin yn destun yn ei *Ffynnon Fyw*.
Iddi, a thrwyddi, cefais fy mhigo â nodwydd crydd,
o big fflamgoch y Frân Dân.

O hynny hyd yn awr, nid oes dymor nad edrychaf amdani,
ym mhonciau a thyllau stond Chwarel Dinorwig,
neu yn y fflyd rhacsddu sy'n swnian rhwng clogwyni
Pont y Gromlech a Phen y 'Pass' ym Mwlch Llanberis.

Anghofiaf dynfa'r brithyll ar Lyn y Dywarchen fry
pan mae'i galwadau jac-do-debyg uwch Drws y Coed ...

Weithiau, teithiaf i'w gwylio yn Seintwar Ynys Lawd –
nid yw hynny 'run fath rhywsut – gormod o bobol.

O Fôn i Benfro ger y weilgi mae ei chri a'i chroes
tra bo hi'n tyllu'r tywairch tynn – cadwaf olwg barcud amdani ...

Pan af i'r àn Gaeltacht – y mae hi yno –
yn asio i'r dim â 'Dagrau Duw' ffiniau'r caeau bach ...
Fel Manaw, Alba a Chernyw, mae creigle a thrigle ei thras
yn rhan o'm Gŵyl Ban Geltaidd ...

Unwaith ...
... yn St Anton – yn yr Alpau – hi a'i chyfnither
felynbig a gododd hiraeth dychrynllyd arnaf
am Ben y 'Pass'!

Ys gwn i ai chwiw ar ran Edwin Tegeingl
oedd rhoddi delwedd ohoni yn addurn hardd
ar bedair cornel ei darian?

A phan fydd baner Sir Fflint yn cyhwfan
y nhw – sydd ym mhedair cesail
croes Dinas Basing!

Roedd y bardd o Fynytho yn llygad ei le
pan alwodd hi yn ei gerdd y Sipsi Geltaidd.

Mae fel y Gymraeg
wedi ei gwthio i rimyn o dir
a'i chefn tua'r môr,
ond yn llygadu'r dwyrain –
ond yma o hyd.

*Dagrau Duw – enw lleol y Gorllewin Gwyllt ar *Fuchsia*

Pyrrhocorax Pyrrhocorax

Doethineb y Gwyddel

Yn An Gaeltacht clywais rigwm
Fod i einioes dyn ei batrwm:
Ugain mlynedd yn egino,
Ugain eto i flodeuo;
Ugain arall yn gwargamu,
Ugain olaf – datgymalu.

An Gaeltacht: ardal y siaradwyr Gwyddeleg yng ngorllewin Iwerddon. Y rhigwm hwn a roddodd ei deitl i lyfr enwog Maurice O'Sullivan, *Twenty Years a-Growing*.

Gwneud Pib
(Mai 15, 2019)

Heddiw mae dail masarn y gwrych
yn lliw delfrydol
i wneud pib o'r pren.

Bydd y gwynin yn llithrig
rhwng y rhisgl a'r coedyn
i weithio'r hen hen gynllun …

dewis brigyn
diamedr, centimedr, crwn cywir;
torri cylch, rownd y rhisgl
ddwy fodfedd (hen hen fesur) o un pen …

Ymdeimlo ag awch y llafn yn archolli'r croen;
yna, cyrraedd y pren caled …

Naddu gorffwysfa
i'r wefl isa'
ac uwchben, torri lleuad newydd drwy'r plisgyn
o'r lle, maes o law, y daw nodyn o gronfa'r gwynt.

Gwlychu'r cyfan â phoer safn,
yna'n dyner, gan bwyso'r cyfan ar y glin,
tap tap tapio
o gwmpas y gwaith â charn y gyllell sy'n llacio'r rhisgl o sugn y sudd.

Gafael yn y cyfan mor deimladwy
â mab yn llaw merch ar eu cerddediad cyntaf …

Sgriw-droi'r corff yn erbyn stondrwydd y pren
yna'r glec
isel glir …
sy'n dweud – rhydd!
A heb dorri na chrafu'r croen …
a gadael y pren melynwyrdd
gwyninwlyb i'w weithio eto
ar dwll dwndwr y gwynt …

Yn ofalus – di-frys, di-fraw
fel llaw yn cosi bol brithyll o dan y dorlan;
dyfnhau'r cafn dan lygaid y lleuad –
ara' deg … ara' deg … haws naddu mwy
na rhoi'r mwy yn ôl!

Arbrofi … llithro i diwb yn ôl drwy'r gwynin tew
chwythu'n ysgafn gyson …

Gel yn gwrando;
naddu mymryn eto
ara' deg …

O gronfa gwynt twll dwndwr dan y lleuad,
un nodyn main hir …
Gel yn llawn disgwyliad:
roedd y chwisl yn gweithio
y flwyddyn hon eto.

Cefin Sant a'r Aderyn Du
(Cyfaddasiad o gerdd Seamus Heaney)

A dyna Cefin Sant a'r aderyn du ...
Penlinio y mae a'i freichiau ar led
yn ei gell gul, rhy gul i weddïo'n rhwydd,

felly, mae'n rhoi ei fraich drwy'r bariau, a'i law tua'r nef,
y cyfan fel trawsbren, a daw aderyn du
ar y gangen gnawd ac asgwrn, a gwneud ei nyth.

Teimla'r sant yr wyau'n gynnes dan y fron lefn,
y pen clyd yn y plu a'r crafangau bach main;
ef yn un â'r cyfan oll mewn tragwyddol we,

nes ennyn ynddo dosturi: rhaid dal ei law
yn gadarn drwy gydol y gori – hindda a glaw –
nes gwawrio dydd pan na fydd cyw ar ôl ...

*   *   *

A chan mai dychymyg yw'r cyfan,
dychmygwch mai chwi yw Cefin. Pa un yw ef?
Ai hunan-ddiystyriol neu'n barhaus mewn poen

o'i wddf drwy'r ysgwydd i'w fraich a'i law?
Ai ynghwsg ei fysedd a'i ddau ben-glin
        neu a ymgripiodd yr afagddu o'r tanddaearol fyd.
Bellach a oes bellter yn ei ben?
Ac yntau'r unig, yn adlewyrchiad clir yn afon ddofn y cariad gwir,
'I lafurio heb geisio gwobr' ei weddi ef.

Un weddi drwyddo yw ei gorff i gyd
cans anghofiodd yr hunan, a'r aderyn du,
ac ar lan yr afon, angof ei henw hi.

Cefin Sant a'r Aderyn Du

Yr Athro Gwyn Thomas

Creigiau gerwin Ffestiniog a'i creodd,
　deunydd crai ysgithrog
　y Manod, a'r gwynt miniog,
　a'r glaw a fflangellai'r glog.

Soar y Mynydd 05 10 19

Aberth oedd Saboth ar y mynydd hwn,
   ac oedfa awr yn ddim ond hoe o'r gwaith,
a'r tuthio hir ar ferlen sur a'i phwn
   yn cario ysbryd gobaith ar y daith.
Deuent o bedwar ban hyd lwybrau cul
   ymroddiad ac ymdeimlad lond y Tŷ:
heb hyn i'r rhain ni fyddai Sul yn Sul –
   hwn oedd eu hedd a'r afael sicraf fry!
Mae'r gwyngalch ar ei furiau dan fy nhrem
   yn dweud fod moddion Soar yn bod o hyd
er nad oes tuthio pell am awr o stem
   i brofi rhin, ac er y newid byd,
heddiw rhown unrhyw beth am Sul encôr
diaberth. hwylus ISUSU 4 x 4.